마음그림

아이는 마음을 그림으로 그려냅니다.
엄마는 딸의 마음을 사랑으로 풀어냅니다.

내 마음은 알록달록해요.
그림을 그리고 색칠할 때
내 마음은 제일
알록달록해요.

마음을 그리는 작가 이윤아

아이는 마음으로 그림을 그려냅니다.
엄마는 사랑으로 풀어냅니다.
우리의 사랑을
우리의 행복을
우리의 소리를
사람들에게 읽어줍니다.

이윤아의 엄마 김주리

마음그림

아이는 마음을 그림으로 그려냅니다.
엄마는 딸의 마음을 사랑으로 풀어냅니다.

김주리 글 \ 이윤아 그림

윤아에게 그림은 세상과의 소통입니다.

유창한 말로 표현을 하지 못해도, 유창한 글로 표현하지 못해도 '마음그림'으로 소통할 수 있습니다.

우리가 모두 함께 소통하며 예술을 즐길 때 비로소 우리의 삶은 빛이 날 것입니다.

이 책을 통해 우리 아이들의 특별함이 사회 속에서 잔잔하게 녹아들 수 있었으면 좋겠습니다. 특별하지 않은 우리의 언어로, 특별하지 않은 우리의 목소리로, 특별하지 않은 우리의 시선으로 세상에 물들어 가길 원합니다.

우리 함께 알록달록하게 살아가요.

여는 말

　윤아 엄마인 저는 2021년 장애 청년 현석빈 개인전 '사계' 전시를 보게 되었습니다. 같은 지역사회에 살고 있는 장애인 작가의 작품은 어떤 모습일까? 기대를 가득하며, 전시회에 발걸음을 옮겼습니다.

　장애인 작가를 본적도, 장애인 작가의 작품을 본적도, 전시회를 본적도 없던 저는 그곳에서 다른 세상을 경험했습니다.

　그림이 아닌, 반짝 반작 빛나는 예술작품들이 저에게 목소리를 들려주는 것만 같았습니다. 그리고 작가의 작품을 보며 만나본 적도 없는 작가의 얼굴이 머릿속에 그려졌습니다.

　이 작품 하나에 장애인 작가의 목소리, 생각, 느낌, 즐거움이 모두 표현될 수 있다는 것을 알게 되었습니다.

　'그래. 우리의 마음을 말로 표현하기 어려우면 예술로 표현하고 느끼면 되는 거야'라는 생각과 함께 더 많은 이야기를 함축해서 담을 수 있는 '예술'이라는 요소가 내 마음에 와닿았습니다.

그렇게 윤아와 함께 예술을 통해 세상을 알아가기 시작했습니다.
윤아도 예술에 마음을 담기 시작했습니다.

이렇게 차곡차곡 쌓인 우리의 이야기를
세상에 보여주려고 합니다.

Part. 1

너의 색깔

Part. 2

너의 생각

Part. 3

엄마 이야기

Part. 4
우리 이야기

Part. 5
그리고, 행복하게

알록달록한

윤아의

이야기를 시작합니다.

Part.1 너의 색깔

알록달록

너의 마음은 알록달록

너의 마음이 늘 밝았으면 좋겠다.

노란 꽃

많은 꽃 속에

특별함이 느껴지지 않는 잔잔함이 좋다.

덕분에 고요하다.

엄마도 좋아

윤아가 좋아하는 꽃, 키티 인형, 딸기, 붓

윤아가 좋아하는 동글동글 머리

윤아가 좋으면 엄마도 좋아.

하하하 아이스크림

너의 웃음소리가 가득 담긴

아이스크림

참 달콤해.

동글동글

아무 색깔이 없어도

아무 그림이 없어도

동글동글

마음이 동그란

너는 소중해.

행복을 그리는 화가 (Eva Armise'n 模作)

너의 색깔이

누군가의 마음에 안정감을 줄 수 있다는 건

윤아가 행복을 그리고 있다는 증거야.

Episode 2022년 어느 날

2022년 어느 날

서귀포시의 플리마켓 행사장에 장애 학생들의 그림을 전시할 수 있는 기회를 갖게 되었다.

감사하게도 윤아와 친구들의 작품을 전시할 수 있었다.

많은 사람이 오가는 행사장이지만

눈에 띄지 않은 평범한 초등학생의 그림

딱 그 정도

딱 그런 경험

딱 그런 날이었다.

그렇게 행사가 끝났다.

그런데 그날 이후

특별한 전화를 받게 되었다.

행사장에 왔었던 분의 전화였다.

건강이 좋지 않아 치료를 받으며 무료한 일상을 지내고 있으시다는

상황과 함께

참 따뜻한 말을 전해 들었다.

윤아의 그림을 보며 마음의 안정감을 느끼게 되었다는 것이었다.

그림의 눈에 띄는 색감이 자꾸 생각이 났고 그날 이후,

윤아의 그림이 눈에 아른거린다고 하셨다.

이렇게 윤아만의 색깔이 누군가의 어두운 마음에 알록달록 색깔을

칠해줄 수 있는 날이었다.

참 행복한 날이었다.

윤아야,

우리의 마음이 세상과 닿았다.

part. 2 너의 생각

Merry Christmas

깜깜한 밤이 되어야

메리 크리스마스는 시작이지.

우리의 파티는 깜깜하지 않았으면 좋겠어.

34

제주

제주는 너무 바빠.

우리 엄마도 너무 바빠.

할 일이 너무 많아.

그래도 제주가 참 좋아.

우리 엄마도 참 좋아.

바다

바다가 너무 넓어서

하늘하고 만났지.

반가워.

해바라기

해바라기처럼

쑥쑥 커서

하늘에 있는 해님을 만날 거야.

그냥, 귀여워

"그냥, 너무 귀여운 거 하고 싶어"

귀여운 거 윤아가 다해.

어지러운 세상

동글 동글 동그랗고

네모 네모난 일들이 많은

어지러운 세상.

우리만의 모양을 찾아볼까?

그림을 그리는 방법

내가 좋아하는 자세로

내가 좋아하는 색깔로

내가 하고 싶은 대로 그리면 되지.

어울림

빨간색도 좋고, 노란색도 좋고, 파란색도 좋고,

보라색도 좋고, 분홍색도 좋고,

다 좋아. 다 섞어보자.

더 예쁜 색이 되었네?

윤아의 일기

그림을 그릴 때는

쑥스러울 때도 있고, 재미있을 때도 있고,

어려울 때도 있고, 힘들 때도 있지만

윤아는 잘해.

날마다

조금씩

더 넓은 하늘을 향해 걸어갑니다.

Part.3 엄마 이야기

내 딸 이윤아

그리고

엄마 김주리 이야기

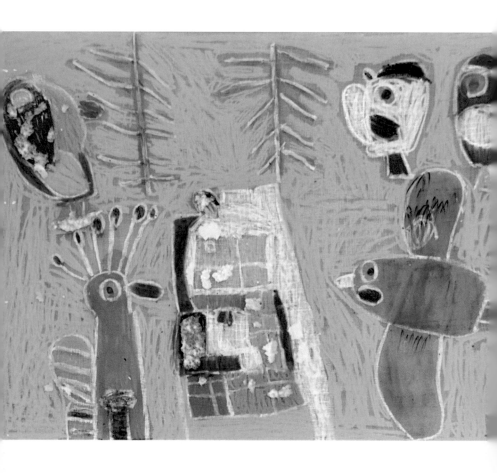

우리 가족

"아빠 공작새, 엄마랑 오빠는 참새,

윤아는 큰 새"

큰 날개를 활짝 펴고

자유롭게 날아오르는

너를 너무 사랑해.

정물화
(정지된 물체를 배치하여 그리는 그림)

우리의 삶은 정지된 것처럼

기다려 주지 않아

나름 유연하게 살아가면 돼.

이윤아

엄마는 윤아가

스스로 너를 표현하는 일이

행복했으면 좋겠어.

너의 흔적

세상에 톡톡 튀는 많은 것들 속에서

너의 이름이 묻혀 있는 순간은 너무도 많아.

하지만 이렇게 톡톡 튀지 않아도

어울린다는 건 참 행복한 일이야.

어둠

우리에게 사회는 때로는 어둡고

무서울 때도 있어.

하지만 우리의 마음이 실타래처럼

모이고 또 모이면

밝은 불빛을 밝힐 수 있어.

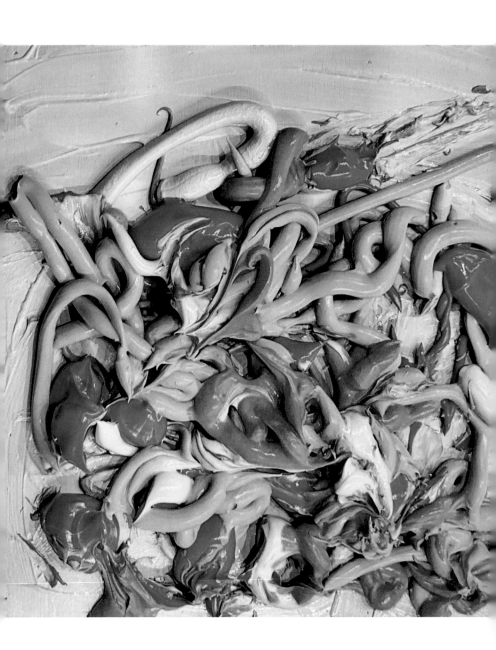

너만의 색깔

많은 색깔이 엉키고 섞여도

자연스럽게 너만의 색깔을 찾아보자.

짜잔

짜잔!

당당함과 자신감이 묻어나는 아이로 자라길.

윤아 꽃

땅 위에도 꽃은 있고

땅 속에도 꽃은 있네.

너도 어디서든

당당한 피어날 자격이 있어.

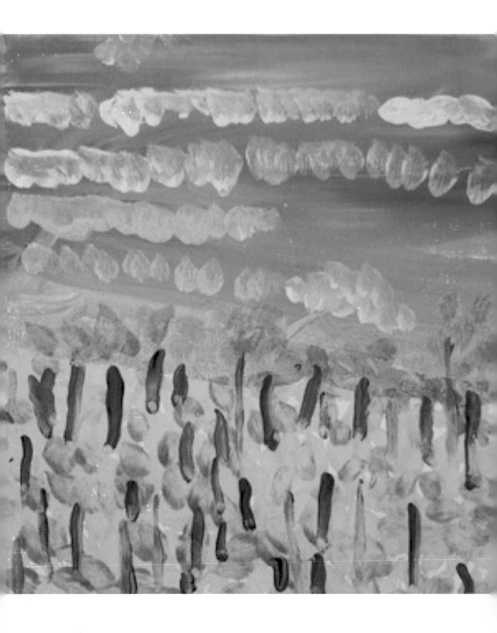

안정감

노란 유채꽃도

파란 하늘도

흰 구름도

모두 편안해.

무지개

비가 오고, 흐린 날 뒤에는

알록달록 무지개가

세상을 반기는 법.

싱그러운

(싱싱하고 맑은 향기가 있다)

싱그러운 초록

싱그러운 노랑

싱그러운 파랑

너의 향기가 느껴진다.

Episode 네가 좋아하는 것이 재능이야

초등학생이 된 윤아의 첫 재능발표의 날,
"엄마, 어떡하지? 윤아 못하는데"
걱정이 한가득 인 아이.

"윤아 그림 그리는 거 좋아하잖아.
윤아가 그린 그림 보여주면 되지!"

너의 그림을 보면 친구들도 다 알 수 있을 거야,
너의 재능과 너의 자신감을.

자신 있게 말로 표현하지 못했지만
자신 있게 너의 그림을 보여준 건
너의 재능을 보여준 거야.

성공!

part. 4 우리 이야기

꽃

같은 듯, 같지 않아도

모두 다 꽃이야.

함께

우리 가는 길이

꽃길이어도

돌길 여도

우리 함께하면 맑음.

꿈꾸자

우리가 꿈꾸는 마을을 만들자,

함께.

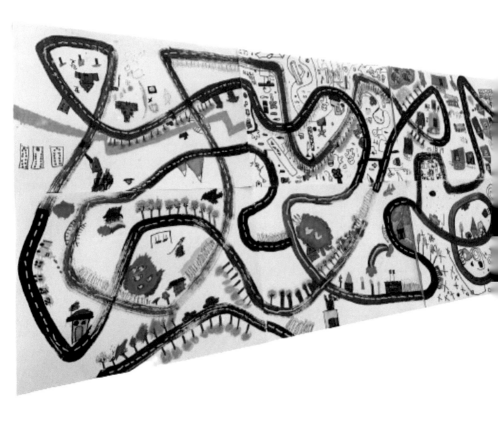

우리의 마음이 모이면

우리의 마음이 모이면

우리가 함께 살아갈

멋진 세상이 될 수 있어.

#서특모

같은 곳을 바라보고

함께 행복할 수 있는 가족이 있다는 건

참 행복한 일이야.

Episode 우리의 시작

　어느날, 근거도 없는 자신감이 넘친 나는 우리아이들과 미술을 시작하겠다고 마음먹었다.

　전문 자격도 없고, 경험도 없는 내가 장애아이들 5명을 이끌고 미술수업을 하겠다고, 아니 할 수 있다고 큰소리를 뻥뻥 쳤다.

　시작만 하면 될 것 같았다.

　지금 생각해 보면 그런 말도 안 되는 자신감이 어디서 생겼는지 모르겠다. 그렇다고 후회하는 것은 아니다.

　그렇게 우리는 시작했다.

　하지만 현실은 달랐다.

　한명 한명 너무도 다른 5명의 장애아이와 함께하는 수업은 생각지도 못한 난관이 참 많았다.

　물감을 손으로 만지며 탐색하던 아이는 물감이 묻은 손으로 내 흰 옷에 손도장을 찍고는 "하하하" 웃으며 즐거워했다.

또 어렵게 빌린 수업 공간에 물감이 묻은 손으로 벽에 손도장을 찍으며 "하하하" 웃어 대는 아이도 있었다.

수업 시간에 앉아 있는 게 너무도 힘든 아이는 "집에 갈 거야"라고 떠나가라 소리를 고래고래 지르며 울기를 반복하기도 하였다.

수업이 끝난 후, 엄마들은 벽과 바닥에 묻은 물감을 걸레질하며 아이들의 흔적을 지우는 일도 다반사였다.

하지만 꼭 함께하고 싶었다.

포기하는 일이 없기를 바랐다.

'장애'라는 이름표가 포기의 원인이 되지 않기를 바랐는지도 모르겠다.

이렇게 한 해, 두 해, 우리 함께한 세 번째 해가 되었다.

어떤 도구가 주어져도 자신만의 색깔로 자신만이 작품을 표현 해내는 아이들이 내 옆에 차분히 앉아 있었다.

옆에서 어르고 달래며 "앉아보자" 설득했던 이모선생님은 이제 필요가 없네?

흥얼흥얼 콧노래를 부르며 그림 그리는 아이,

"나 잘하지?"라고 몇 번씩 되물으며 그림 그리는 아이.

그림 그리는 시간이 즐겁고, 그림 그리는 시간에 스스로가 만족감을 느끼기 시작한 것이다.

주말이면,

아이들 없이 여유롭게 마시는 커피 한잔이 간절했던 순간이 있었다.

이제 이모는 선생님이 아닌 윤아의 엄마가 되어 너희들의 수업이 끝나길 기다리며 달콤한 커피 한잔을 마셔본다.

이 모든 게, 참 행복하다.

세상을 잇는 빛나는 예술가

너희들의 빛나는 꿈을 응원해

꽃 두 송이

보석같이 귀한 내 아들, 딸에게

이렇게 서로 기대어서 살아가면 돼.

엄마가 너희들의 울타리가 되어줄게.

그리고

너희 옆에는 많은 사람이 있어.

너희를 반짝반짝 빛나게 지켜줄 거야.

part.5 그리고, 행복하게

주저 없이

그리고 의연하게 해보는 거야.

이렇게

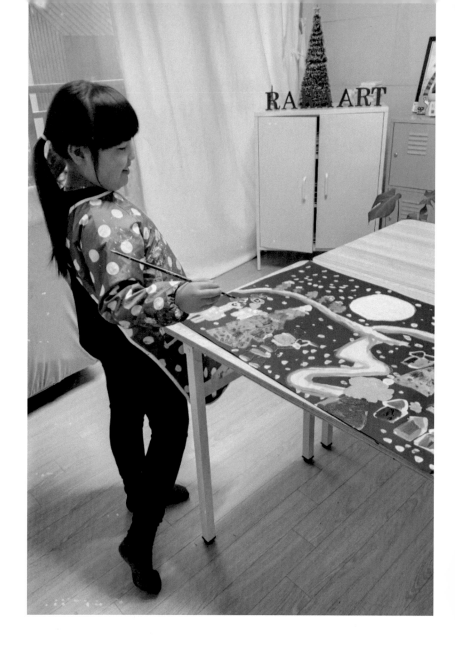

이렇게!

때론, 이렇게

집중하며

멋진 꿈을 만드는 거야.

너만의 속도로

너만의 색깔로

너만의 느낌으로

즐기는 거야.

그리고 행복하게.

너의 시선, 엄마의 시선

우리의 시선이

모두 함께하길 바라며.

이천이십사년. 윤아의 열 살

맺는 말

어느 날

특별한 아이가 된 내 딸

어느 날

아주 특별한 엄마가 된 나

우리의 특별함을

말로 구구절절 전할 필요가 있을까?

글로 구구절절 쓸 필요가 있을까?

우리의 마음이 담긴 그림들이

특별하지 않은 우리의 언어로

특별하지 않은 우리의 목소리로

특별하지 않은 우리의 시선으로

많은 사람의 마음에 와닿기를

간절히 원해본다.

윤아와 엄마의 서툰 목소리이지만

우리의 마음이 세상에 닿기를

기대하며 끝을 맺는다.

마지막으로

윤아의 '마음그림'에 마음을 함께 해주신

윤아의 그림 선생님

그리고

엄마 김주리의 인생 선생님

신상화 선생님

양재열 선생님

석우철 선생님

장미애 선생님

김혜련 선생님

김선희 선생님

진심 가득한

감사의 마음을 전합니다.

이천이십사년. 이윤아 엄마 김주리.

마음그림

아이는 마음을 그림으로 그려냅니다.
엄마는 딸의 마음을 사랑으로 풀어냅니다.

발 행 | 2024년 07월 29일

저 자 | 김주리

그 림 | 이윤아

표지사진 | 김주리

디자인 | 오은정

인권표현검수 | 이지민

바른우리말검수 | 이지민

후원 | 제주특별자치도, 제주문화예술재단

주관 | 서귀포 오아시스

미디어에디터 | 최인서

작품편집, 에이전트 | 박산솔, 이정숙, 이선경

펴낸이 | 한건희

펴낸곳 | 주식회사 부크크

출판사등록 | 2014.07.15.(제2014-16호)

주 소 | 서울 금천구 가산디지털1로 119, SK트윈타워 A동 305호

전 화 | 1670 - 8316

이메일 | info@bookk.co.kr

ISBN | 979-11-410-9763-9

www.bookk.co.kr

2024 엄마의 활주로 '함께육아에세이'의 취지에 맞게 작가의 감정 표현과
아이의 언어 표현을 지키는 방향으로 교정 교열 하였습니다.

본 책은 강원교육모두체, 학교안심(확장)바른돋움체가 사용되었습니다.

본 책은 제주특별자치도와 제주문화예술재단의 후원을 받아 제작되었습니다.

Jeju   JFAC 제주문화예술재단